Alice
no mundo
da
Bíblia

Paulinas

CB022894

Revisado conforme a nova ortografia.

Do original da língua inglesa
THE STORY OF THE LOAVES AND FISHES
© C.R. Gibson Company

Tradução: *P. Abramo*
Revisão de texto: *Paulinas*

9ª edição – 2011
4ª reimpressão – 2024

Cadastre-se e receba nossas informações
www.paulinas.com.br
Telemarketing e SAC: 0800-7010081

Paulinas
Rua Dona Inácia Uchoa, 62
04110-020 – São Paulo – SP (Brasil)
(11) 2125-3500
editora@paulinas.com.br

A História Da MULTIPLICAÇÃO dos PÃES e dos PEIXES

Tinha Alice um lindo livro
Todo cheio de aquarela.
Sempre que tinha uma folga
Ia dar-lhe uma olhadela.

Um dia, num piquenique,
Em meio a lindo gramado,
Leu uma história da Bíblia,
No colo, o livro apoiado.

Sobre alguns pães e peixes
Era a história que ela lia.
Então, um pombo-correio
Deu um bilhete que dizia:

“Ler é a chave que a vai levar
Aonde você quer estar.”

O seu livro então mudou-se
Numa linda e enorme tela.
E Alice foi passear
No País da Bíblia, entrou nela.

Viu Jesus e os discípulos
Que procuravam lugar
Lá no mar da Galileia
Pra seu barco encostar.

Precisavam descansar
E também ficar sozinhos.
Mas quem buscava Jesus
Vinha por todos caminhos.

Seguiam Jesus pela praia.
Todo o povo se reunia.
Vinda de todos lugares,
A multidão mais crescia.

Jovens, mulheres e homens
Continuavam a aparecer.
Até as crianças queriam
A Jesus ouvir e ver.

Eram pessoas doentes:
Cegas, mudas, aleijadas.
Sabiam que a mão de Jesus
Podia deixá-las curadas.

Ouvir o que Jesus dizia
Dava-lhes tanto prazer,
Que quase se esqueciam
De que tinham de comer.

Mas um menino lembrou-se
De trazer o seu cestinho
Com apenas cinco pães
E com eles dois peixinhos.

E Jesus, naquele dia,
Prosseguia a navegar.
E as multidões cresciam,
Para ouvi-lo discursar.

Por fim, Jesus encontrou
O lugar tão desejado.
Mas não pôde ficar só,
Pela multidão cercado.

Cinco mil pessoas vieram
Para escutá-lo falar.
Muitos esperavam a cura,
Pois mal podiam andar.

Jesus com o povo ficou,
Pois o amava com ternura.
A doentes, cegos, coxos,
Favoreceu com a cura.

Falava do amor de Deus.
E a noite foi caindo.
“Ninguém ainda comeu,
E com fome estão me ouvindo”.

Isto disse aos discípulos,
Pedindo pra comprar pão,
Porque o povo, já com fome,
Não tinha alimentação.

"Nosso dinheiro não basta
Pra alimentá-los agora",
Um discípulo então disse,
"Vamos mandá-los embora!"

Eis o menino da cesta
Que a correr ofereceu:
“Não trago aqui muita coisa:
Só dois peixes, pouco pão”.

O povo se acomodou
E Jesus fez a oração
Para agradecer a Deus,
Os peixinhos e o pão.

Tomando o pão e os peixes,
Jesus os repartia,
Mas em vez de acabar
O alimento mais crescia!

Um verdadeiro milagre
Houve na distribuição
Que Jesus e os discípulos
Faziam do peixe e do pão.

Dois peixes e cinco pães,
Passando de mão em mão,
Chegaram pra cinco mil:
Toda aquela multidão!

Houve comida o bastante
Para todos, nesta ceia.
E até mais doze cestas
Sobraram, e todas cheias.

Os que viram o milagre
Que o Salvador fez sozinho
Concordaram que era Deus
Quem estava em seu caminho.

Mas Alice tinha de ir-se,
Deixando a história pra trás.
Passou através do livro,
Mas não esqueceu jamais.

De volta, em sua casa,
Pôs o seu livro num canto.
“Como pude numa viagem
Contemplar e aprender tanto!”

"Vi Jesus curar doentes,
Mostrar o caminho de Deus.
Vi também um bom menino
Repartir o que era seu."

"Pouca comida ele tinha
E muitos, para comer.
Mas, feliz, deu a Jesus
Que o ensinou a viver."

"E vi, também, que o milagre
De Jesus, nosso Senhor,
Provou que era o Messias
De nós todos, Salvador.

"Enfim, aprendi a confiar
Em Deus, nosso Pai bendito,
Pois reparte com seus filhos,
O seu amor infinito."

ALICE NO MUNDO DA BÍBLIA

Novo Testamento

A história da multiplicação dos pães e dos peixes
A história da ovelha desgarrada
A história da Páscoa
A história de Jesus e seus discípulos
A história de Paulo
A história do Bom Samaritano
A história do Filho Pródigo
A história do Menino Jesus
Pai-Nosso
Preces e ação de graças

Rua Dona Inácia Uchoa, 62
04110-020 – São Paulo – SP (Brasil)
Tel.: (11) 2125-3500
http://www.paulinas.com.br – editora@paulinas.com.br
Telemarketing e SAC: 0800-7010081